# ÉALÚ SAN OÍCHE

Éalú san Oíche
Le Colmán Ó Raghallaigh



ISBN: 978-1-899922-85-7



Foilsithe ag Cló Mhaigh Eo,
Clár Chlainne Mhuiris,
Co. Mhaigh Eo, Éire.
www.leabhar.com
Fón/Faics: 094-9371744 / 086-8859407

Dearadh: raydesign, Gaillimh. raydes@iol.ie

Clóbhuailte in Éirinn ag Clódóirí Chois Fharraige,
Indreabhán, Co. na Gaillimhe

Aithníonn Cló Mhaigh Eo tacaíocht
Fhoras na Gaeilge i bhfoilsiú an leabhair seo

Foras na Gaeilge

# ÉALÚ SAN OÍCHE

COLMÁN Ó RAGHALLAIGH
MAISITHE AG OLIVIA GOLDEN

I gcuimhne ar m'athair is ar mo mháthair

*1847.*
*Drochbhliain ghruama d'Éirinn. Tá an galar dubh go rábach ar fud na tíre agus na mílte básaithe cheana féin. In iarthar na tire tá an scéal ag dul in olcas in aghaidh an lae…*

# 1
# BAILE NA gCRANN

I mBaile na gCrann, dhá mhíle taobh ó thuaidh de Chaisleán an Bharraigh bhí ceárta ag Tomás Ó Máille, an gabha. Ar nós a athar roimhe bhí clú agus cáil ar Thomás mar ghabha agus thagadh na daoine ó chian is ó chóngar chuige.

Taobh leis an gceárta bhí teach compordach ceann tuí aige inar chónaigh sé féin agus a bhean Bríd lena mbeirt pháistí, Nóirín agus Peadar. Bhí feirm bheag aige chomh maith ach murach an cheárta bheadh sé chomh bocht leis an gcéad duine eile.

Uair amháin bhíodh suas le scór teaghlach i mBaile na gCrann ach anois, tar éis dhá bhliain den ocras, ní raibh ach cúpla teaghlach fágtha...

Tháinig an samhradh. Lá i ndiaidh lae bhí an ghrian ag briseadh na gcloch agus na daoine ag rá nach bhfaca siad a leithéid riamh.

Páistí breátha scafánta ba iad Nóirín, a bhí deich mbliana d'aois, agus Peadar, a bhí ag tarraingt ar an naoi agus is iomaí sin spórt agus scléip a bhíodh ag an mbeirt acu ar theacht an tsamhraidh. Ach thar rud ar bith eile ba bhreá le Nóirín agus le Peadar imeacht leo ag spraoi cé go mbíodh leisce ar a n-athair iad a ligean rófhada leo féin.

Ach an mhaidin bhreá seo bhí Nóirín agus Peadar ina suí go moch agus iad ag impí go tréan air cead a gcos a thabhairt dóibh. Bhí deifir ar Thomás agus níor mhaith leis iad a dhiúltú.

'Tá go maith,' ar seisean ar deireadh, 'ach tugaigí aire daoibh féin ... agus bígí ar ais

Clú agus

anseo thart ar mheán lae.'

'Beimid,' arsa an bheirt agus sceitimíní orthu.

Amach leo go meidhreach faoi theas na gréine agus níorbh fhada gur fhág siad an baile ina ndiaidh. Bhí sé go haoibhinn faoin tuath an mhaidin sin agus na héin ag canadh in ard a gcinn is a ngutha. Bhí crónán na mbeach le cloisteáil go soiléir agus féileacáin ag eitilt leo go haerach i measc na mbláthanna.

Ar ball beag tháinig na páistí chomh fada le sruthán. Shuigh siad tamall ar an mbruach agus a gcosa nochta san uisce deas fuar. Ansin shiúil siad ar aghaidh píosa beag eile nó go bhfaca siad droichead beag rompu.

'Meas tú an bhfuil iasc sa sruthán sin, a Nóirín?' arsa Peadar. 'Dúirt Daidí liom go bhfanann an t-iasc san áit dhorcha nuair a bhíonn an aimsir te. Cuirfidh mé geall leat go bhfuil na scórtha acu faoin droichead sin!' Agus rith sé leis go sceitimíneach.

'Hé! Fan liomsa!' arsa Nóirín agus í ag iarraidh é a leanúint trí neantóga agus driseacha. Bhí an droichead bainte amach ag Peadar faoi sin agus é ag stánadh isteach san uisce ag iarraidh na héisc a fheiceáil.

Ansin go tobann chuala sí scréach uafáis. Bhí a deartháir ag preabadh siar ó bhalla an droichid agus dath an bháis air.

'Céard tá ort, a Pheadair, in ainm Dé,' arsa Nóirín agus iontas uirthi. Ní raibh an buachaill bocht in ann í a fhreagairt ach shín sé a mhéar i dtreo an uisce.

Anonn le Nóirín go dtí an balla agus d'fhéach sí isteach. Bhí rud éigin thíos ann ceart go leor ach thóg sé soicind nó dhó uirthi é a dhéanamh amach. Chonaic sí ansin é. Corp páiste ina luí sna fiailí, a shúile oscailte agus dath buí-ghlas ar a bhéal ó bheith ag iarraidh an féar a ithe.

D'oscail Nóirín a béal ach níor fhéad sí an scréach a ligean amach. D'iompaigh sí, rug sí greim láimhe ar a deartháir agus thug siad na cosa leo ar ais go dtí an cheárta.

# 2
# CURTHA CHUN BÓTHAIR

Thiar ar an gceárta bhí Tomás Ó Máille ag cur allais go tiubh. Bhí sé ag druidim le meán lae faoin am sin agus é tar éis a bheith ag obair ó mhaidin. Bhí a fhios aige go raibh sé in am aige sos a thógáil nó thitfeadh sé leis an teas nó leis an ocras. Chaith sé de an naprún mór agus amach leis faoin aer úr. Tharraing sé an dá dhoras adhmaid le chéile de phlab. Bhí an bolta mór iarainn á chur abhaile aige nuair a chuala sé a bhean ag glaoch air.

'A Thomáis,' ar sise, 'gabh i leith go bhfeice tú é seo.'

D'airigh sé imní éigin ina glór a chuir fuadar air. Bhí sí ina seasamh ag an ngeata agus í ag breathnú i dtreo na sléibhte.

'Breathnaigh,' ar sise. Bhí scamall mór deataigh ag éirí san aer ar an taobh eile den chnoc, ón áit a raibh cónaí ar a gcomharsa, Micheál de Búrca agus a theaghlach.

'Céard é féin, meas tú?' arsa Bríd.

'Is doiligh a rá, a stór,' ar seisean, 'ach ní maith liom é.'

Ní raibh na focail as a bhéal nuair a chonaic siad Máire de Búrca, iníon le Micheál, ag rith aníos an bóithrín chucu. Bhí drochbhail ar an gcailín bocht, gan uirthi ach giobail agus í tuirseach traochta ó bheith ag rith. Faoin am a shroich sí an teach bhí sí i riocht titim. Labhair Bríd lei go cineálta.

'Muise, a Mháire, a stór, céard tá ort in ainm Dé?'

Ach freagra ní bhfuair sí.

'Tabhair seans di,' arsa Tomás. 'Ní thig léi dada a rá go fóillín.' Ansin de réir a chéile tháinig an chaint chuici.

'An báille,' ar sise, 'tháinig an báille agus na saighdiúirí agus ... agus tá siad tar éis muid a chur chun bóthair.'

'Chun bóthair?' arsa Bríd. 'Ach cén fáth a ndéanfaidís é sin oraibh, a stór, nó céard a rinne sibh ar chor ar bith?'

'Ní dhearna muid dada ach gur dhíol Daid an t-arbhar le bia a cheannach in áit é a thabhairt mar chíos don tiarna talún. Bhí a fhios aige go mbeadh trioblóid faoi ach bhí Mam ag éirí lag agus bhí ... bhí ocras orainn.' Agus bhris na deora uirthi.

'Thug siad leo an chairt seo againne agus d'iarr mo Dhaid orm a fháil amach an mbeadh sibhse in ann muid a thabhairt chomh fada le Caisleán an Bharraigh in bhur gcairt féin.

'Tógfaidh mé sibh agus fáilte,' arsa Tomás, 'ach céard a dhéanfaidh sibh ansin?'

'Deir Daid go bhfuil obair ar fáil anois ag déanamh bóithre agus ag tógáil ballaí agus a leithéidí sin. Beidh muidne in ann fanacht i dTeach na ... i dTeach ...'

'Sa Teach Mór,' arsa Tomás. Bhí a fhios aige go maith gurbh é Teach na mBocht a bhí i gceist aici ach go raibh náire uirthi é a rá. Ní raibh baile mór sa tír anois nach raibh a leithéid ann agus iad ar fad plódaithe le muintir chráite na tuaithe.

'Anois, a Mháire, ná bíodh imní ort,' ar seisean, 'ach imigh leat siar agus abair le d'athair go mbeidh mé i do dhiaidh gan mhoill.'

D'imigh an cailín go buíoch beannachtach. Thíos sa seomra bhí bosca stáin i bhfolach ag Tomás. Airgead a chuireadh sé i dtaisce ó am go chéile a bhí ann 'ar fhaitíos na bhfaitíos' mar a deireadh sé féin. D'oscail sé go cúramach é agus thóg roinnt airgid as.

'Caithfimid cuidiú leo,' ar seisean lena bhean.

'Coinneoidh sé seo iad ar feadh tamaill.'

'Agus ina dhiaidh sin?' arsa Bríd.

'Ina dhiaidh sin ... níl a fhios agam, a stór, níl a fhios agam,' arsa Tomás go brónach agus d'imigh sé leis chun teacht i gcabhair ar a chomharsa.

...

Ar éigean a d'aithin sé teach na mBúrcach nuair a tháinig sé chomh fada leis. Ní raibh fágtha anois den teach breá ceann tuí ach carn dóite cloch agus an deatach fós ag éirí as. Bhí Micheál de Búrca ina sheasamh i lár an bhóthair gan cor as agus é ag stánadh ar a raibh fágtha den teach a thóg sé lena lámha féin.

Bhí a bhean, Eibhlín, ina suí le hais an chlaí agus a cúigear páistí thart timpeall uirthi. Ní raibh focal as aon duine acu ach iad uilig ag caoineadh os íseal le cumha

Cumha agus
briseadh croí...

agus briseadh croí. Léim Tomás anuas den chairt.

'A Mhichíl,' ar seisean go ciúin, 'is oth liom go mór do chás.'

'Tá a fhios agam é sin,' arsa Micheál agus na deora lena shúile, 'agus go raibh míle maith agat as teacht.'

'Ní dada é muise,' arsa Tomás agus gan a thuilleadh cainte thosaigh siad ag réiteach chun bóthair. Níor thóg sé i bhfad na nithe beaga a bhí fágtha ag na Búrcaigh a chur isteach sa chairt agus an chlann ina ndiaidh. Nuair a bhí gach rud réidh acu bhreathnaigh Tomás timpeall uair amháin eile.

'Tá sé chomh maith againn bheith ag imeacht is dócha,' ar seisean agus ghluais siad leo go mall i dtreo Chaisleán an Bharraigh. Níor bhreathnaigh Micheál ná a bhean siar agus iad ag imeacht.

# 3
# GAFA!

Trí huaire an chloig ina dhiaidh sin bhí Tomás ag siúl síos príomhshráid Chaisleán an Bharraigh agus go leor smaointe éagsúla ag rith trína cheann. Bhí a fhios aige gur trí na sráideanna seo a rith na cótaí dearga i mBliain na bhFrancach fadó ... go raibh a athair féin leis na Francaigh an lá céanna. Lá bródúil cinnte, ach bhí sin i bhfad ó shin agus bhí saol eile anois ann.

Is ea - saol eile, 'an drochshaol' mar a bhí á thabhairt air ag na daoine le tamall. Nach raibh sé díreach tar éis a chomharsana féin a fhágáil i dTeach na mBocht! Agus nach bhfaca sé lena dhá shúil féin na cairteacha lán de chorpáin agus iad á n-iompar as an mbaile an mhaidin chéanna gan sagart ná cara le hiad a chaoineadh.Níorbh aon iontas é go raibh na daoine ag rá go raibh dearmad déanta ag Dia orthu.

Lean Tomás air gur shroich sé teach tábhairne. Ba le Séamas Ó Dubhthaigh an teach tábhairne seo agus is ann a théadh Tomás i gcónaí agus é ar an mbaile mór.

Chas sé isteach an doras agus cé a bhí istigh roimhe ach a sheanchara, Pádraig Ó Dochartaigh, an fidléir taistil. D'ardaigh croí Thomáis nuair a chonaic sé é.

'Muise, a Phádraig, a chara, cén chaoi a bhfuil tú ar chor ar bith?' ar seisean agus é ag croitheadh a láimhe go croíúil.

'Ara, níl mé ródhona, a Thomáis,' arsa Pádraig. 'Tá mé beo ar aon chaoi agus nach iomaí duine atá i gcré na cille ó bhuail mé leat cheana!'

'Is fíor duit,' arsa Tomás, 'ach suigh síos

ansin agus beidh greim le hithe againn.'

Bhí ocras ar Phádraig agus bhí sé soiléir nár ith sé béile ceart le tamall. Ach a bhuíochas le Séamas níorbh fhada go raibh béile breá os a gcomhair. Nuair a bhí an béile caite acu thosaigh Pádraig ag cur síos dóibh ar gach a bhfaca sé le tamall de mhíonna anuas; agus ba ghruama an cuntas é, ar na daoine a chonaic sé á gcur chun bóthair ag na tiarnaí talún, ar na corpáin ar thaobh an bhóthair agus gan aon duine fágtha lena gcur, ar na mílte a bhí ag imeacht leo go Meiriceá ...

'Agus bhfuil a fhios agaibh an rud is mó a ghoilleann orm féin?' ar seisean faoi dheireadh. 'Tá mé ag ceapadh go bhfuil sé cúig mhí ó d'iarr aon duine orm tiúin a chasadh, an gcreidfeá é sin? Tá spiorad na ndaoine scriosta de bharr an ocrais.'

'Is bocht an scéal é go deimhin,' arsa Séamas agus an bord á ghlanadh aige. 'Go

Rí na bh-Fidiléi

gcumhdaí Dia sinn.'

'Ní thig liom cur suas leis níos mó,' arsa Pádraig agus tocht ina ghlór. 'Ní chreidfidh tú é seo, a Thomáis ach, níl sé ach uair an chloig ó dhíol mé an fhidil le Séamas anseo agus cheannaigh mé mo phasáiste go Meiriceá.'

'Ag magadh fúm atá tú!' arsa Tomás. Níor chreid sé riamh go scarfadh Pádraig Ó Dochartaigh, 'Rí na bhFidléirí,' leis an tseanfhidil sin.

'Deamhan magadh ar bith orm,' arsa Pádraig go ciúin. 'Maidin Shathairn a sheolfaidh an long ó Chathair na Mart. Ní raibh an dara rogha agam, an dtuigeann tú, agus dá mbeadh ciall agatsa, a Thomáis, dhéanfá féin agus do mhuirín an rud céanna. Níl dada i ndán dúinn anseo ach an bás agus an tubaiste.'

Bhí tost ann ar feadh nóiméid. Bhí Tomás ar tí é a fhreagairt nuair a chuala siad scliúchas taobh amuigh. Anonn leo chuig an bhfuinneog go bhfeicfidís céard a bhí ag tarlú.

Bhí scata daoine ag rith amach as taobhshráid. Daoine bochta a bhí iontu agus cuid acu sean go maith. Bhí iontas ar Thomás chomh sciopta is a bhí siad in ann rith agus gan pioc feola orthu. Ach cén fuadar a bhí fúthú?

Bhí an torann agus an scréachaíl ag méadú i gcónaí agus ansin chonaic Pádraig agus Tomás radharc a chuir iontas orthu. Bhí trí chairt mhóra i lár na sráide agus buíon saighdiúirí thart orthu agus iad i ngleic le slua mór millteanach a bhí ag iarraidh na málaí a tharraingt as na cairteacha.

Thuig Tomás ar an bpointe céard a bhí ag tarlú. Lasta mór arbhair a bhí acu agus é ar an mbealach go Cathair na Mart le cur ar bord loinge go Sasana. Is iomaí scéal a bhí cloiste acu faoina leithéid a bheith ag tarlú agus muintir na hÉireann iad féin ag fáil bháis den ocras! I lár an tslua bhí an captaen agus racht feirge air. Ar éigean a bhí sé in ann srian a choinneáil ar a chapall agus an raic ag dul in olcas i gcónaí.

Go tobann thug sé an t-ordú agus thosaigh a chuid fear ag scaoileadh san aer agus ag bualadh na ndaoine siar lena gcuid gunnaí. Bhí mná ag scréachaíl agus bhí páistí ag caoineadh le faitíos.

Rith bean amháin i dtreo an tábhairne agus mála á tharraingt ina diaidh aici ach lean saighdiúir í agus leag ar an tsráid í. D'ardaigh sé a ghunna le hí a bhualadh ach i bpreabadh na súl amach le Tomás de léim agus chaith sé go talamh é.

'Gabhaigí an fear sin!' a bhéic an captaen agus sula raibh deis aige éalú rug triúr saighdiúirí go garbh air.

'In ainm Dé, níl inti ach seanbhean,' arsa Tomás go feargach. 'Nach bhfeiceann sibh chomh tanaí is atá sí?'

'Dún do chlab, a amadáin,' arsa an captaen go borb leis, 'nó múinfidh mise béasa duit,' agus lig sé béic ar na saighdiúirí: 'Go dtí an príosún leis. Feicfimid céard a bheas le rá aige sa chúirt Dé hAoine.'

De réir a chéile chúlaigh an slua roimh na gunnaí agus d'imigh na saighdiúirí agus a raibh fágtha den lasta ar ais go dtí an bheairic. Bhí Tomás Ó Máille ina measc agus é ina phríosúnach.

■ ■ ■

Faoin am a shroich siad an príosún bhí scamaill mhóra dhubha ag bailiú os a gcionn ach is beag aird a thug Tomás Ó Máille orthu. Trí gheata mór iarainn a tugadh i dtosach é, isteach i gclós beag bídeach agus ansin trí dhoras beag íseal go dtí na cillíní. Síos pasáiste beag cúng ansin sular osclaíodh doras eile agus caitheadh isteach é ar mhullach a chinn i gceann acu. Chuala sé an eochair á casadh agus na gardaí ag imeacht leo agus iad ag gáire.

Bhí sé chomh dorcha sin istigh sa chillín gur thóg sé tamall air aon rud a dhéanamh amach dó féin. Ní raibh sa chillín féin ach seomra beag gan bord ná stól ann agus carn de thuí shalach sa chúinne le luí air. Ní fhaca sé riamh áit a bhí chomh gruama dorcha leis agus boladh bréan ar fud na háite.

Ar ball beag thug sé faoi deara go raibh solas éigin ag teacht isteach sa chillín agus nuair a sheas sé suas chonaic sé fuinneog bheag amháin a bhí chomh hard sin nár fhéad sé breathnú amach tríthi.
Shuigh sé arís agus cluas le héisteacht air. Chuala sé na francaigh ag rith ó áit go háit agus corr-scairt nó scréach ó na sráideanna i bhfad uaidh. Bhí an ghaoth ag bailiú

nirt faoi dheireadh agus níorbh fhada gur chuala sé an bháisteach ag clagarnach ar leaca an chlóis. Bhí an stoirm ag tosú. D'airigh sé an toirneach den chéad uair le fada agus solas gealghorm na tintrí taobh amuigh dá fhuinneog bheag shuarach.

Bhí Tomás ina luí sa chúinne ar feadh an ama agus é ag smaoineamh ar a bhean, ar a pháistí agus ar a chara Pádraig. Bheadh an scéal pléite agus seanphléite aige le Séamas faoi seo agus bheadh seift éigin ag Pádraig ... Níor chlis sé riamh air ...

De réir a chéile thit a chodladh air agus ansin ar feadh tamaillín bhí faoiseamh beag aige agus é ina ghasúr óg arís ag rith is ag léim lena bheirt chomrádaithe óga, Pádraig agus Séamas, trí pháirceanna glasa Bhaile na gCrann.

# 4
# AN PLEAN A CHEAP PÁDRAIG

Chomh luath agus a chonaic sé Tomás Ó Máille á thógáil ag na saighdiúirí bhí a fhios ag Pádraig go raibh a sheanchara i dtrioblóid mhór. Bheadh air rud éigin a dhéanamh ... bhí a fhios aige sin ... ach céard? Bhí sé fós ag stánadh amach an fhuinneog nuair a ghlaoigh Séamas isteach air go dtí an chúlchistin, áit a raibh gloine mhór fuisce ag fanacht leis ar an mbord.

'Caith siar é sin, a Phádraig,' arsa Séamas. 'Déanfaidh sé maitheas duit.' Agus d'imigh sé amach chun an tábhairne a dhúnadh. Nuair a tháinig sé ar ais bhí Pádraig ina shuí ag an mbord ag féachaint isteach sa tine. Bhí tost ann ar feadh tamaillín go dtí gur labhair Séamas: 'Dé hAoine a shuíonn an chúirt. Tá a fhios agat féin an toradh a bheas air sin ...'

Rómhaith a thuig Pádraig gur bheag duine a shiúil amach saor as cúirteanna na nGall. Agus an té a bhuailfeadh saighdiúir gallda ní bheadh in ann dó ach an rópa.

'Tá dhá lá againn,' arsa Séamas. 'Caithfimid rud éigin a dhéanamh. Ach céard? Céard is féidir linn a dhéanamh?'

Bhí Pádraig fós ag smaoineamh. Go tobann bhuail sé a dhorn ar an mbord agus ar seisean: 'Tá sé agam!'

'Bhuel?' arsa Séamas, 'céard é féin?'

'Suigh síos agus inseoidh mé duit,' arsa Pádraig.

'Sílim go bhfuil bealach agam le cabhrú le Tomás ... ach beidh sé contúirteach.'

'Shíl mé go mbeadh,' arsa Séamas, 'ach is cuma faoi sin. Inis dom céard tá ar intinn agat.'

■ ■ ■

Bhí an oíche ag titim agus bhí Bríd Uí Mháille ag éirí buartha. Ní raibh tásc ná tuairisc ar a fear céile ó d'fhág sé ar maidin agus cé gur thuig sí go maith go dtógfadh sé tamall air muintir De Búrca a fháil socraithe, shíl sí gur cheart dó bheith ar ais i bhfad níos túisce ná seo. Ar ndóigh bheadh air bualadh isteach tigh Shéamais, ach mar sin féin ...

Cén dochar ach bhí Nóirín agus Peadar an-chorraithe ó tháinig siad abhaile ag meán lae agus scéal an uafáis ina mbéal acu faoina bhfaca siad san abhainn; gan trácht ar an drochscéal faoi na Búrcaigh ... chun scéal dona a dhéanamh níos measa! Ach ar a laghad ar bith bhí siad ina gcodladh go sámh sa lochta thuas anois agus gan a fhios acu go raibh imní eile fós ar a máthair bhocht agus í ag fanacht lena

*ach beidh an tuirseach.*

fear céile a theacht.

Bhí sí díreach ar tí dul amach chomh fada leis an ngeata den fichiú huair nuair a chuala sí an torann ar an mbóthar. Buíochas le Dia! Bhí sé tagtha!

Amach léi go beo le fáiltiú roimhe. Sheas sí ag an ngeata go bhfaca sí duine éigin chuici ar mhuin capaill. Bhí sé sin aisteach. An raibh an chairt fágtha sa bhaile mór aige? Bhí an marcach buailte chomh fada léi anois agus chonaic Bríd nárbh é Tomás a bhí ann ar chor ar bith ach Séamas ... Séamas Ó Dubhthaigh! Sheas sí nóiméad agus a croí ina béal aici.

'A Shéamais,' ar sise, 'céard a thug anseo thú nó cá bhfuil Tomás?' Thuirling Séamas den capall.

'Go réidh anois, a Bhríd. Gabhaimís isteach sa teach agus míneoidh mé an scéal duit.'

Níorbh fhada go raibh an t-iomlán cloiste

aici agus cé go ndearna Séamas a sheacht ndícheall í a chur ar a suaimhneas bhí sí cráite faoin am a bhí deireadh ráite aige.

'Óra, Dia á réiteach!' ar sise agus na deora lena súile, 'céard a dhéanfaidh mé ar chor ar bith? 'Tá deireadh linn ...'

'Fan socair anois, a Bhríd,' arsa Séamas, 'tá mé féin agus Pádraig ag obair ar phlean leis an scéal a chur ina cheart. Ach ní thig linn dada a dhéanamh asainn féin. Caithfidh tusa agus na gasúir cuidiú linn. An ndéanfaidh sibh é sin?'

'Déanfaidh, cinnte,' arsa Bríd, 'ach céard is féidir linne a dhéanamh?'

'Suigh síos ansin anois agus inseoidh mé duit,' arsa Séamas, 'mar caithfidh mé deifriú ar ais go Caisleán an Bharraigh le casadh le Pádraig.'

***

Sáirsint agus saighdiúir singil a bhí ag gardáil gheata an phríosúin. Bhí sé ag druidim le meán oíche agus cé go raibh an bháisteach glanta le tamall bhí an bheirt acu fliuch go craiceann. Cén dochar ach bheadh orthu fanacht ansin go maidin ... Bhí siad ag clamhsán go tréan nuair a chonaic siad duine éigin ag teacht. Léim an sáirsint amach i lár na sráide.

'Stop in ainm na Banríona!' ar seisean go hard agus dhírigh sé a ghunna ar an strainséir. Ach lean an strainséir air agus é ag tabhairt dhá thaobh an bhóthair leis.

'Tá an diabhal sin ar meisce,' arsa an sáirsint lena chomrádaí agus é ag gáire.

Leis sin thosaigh an strainséir ag canadh in ard a chinn.

*'Anois teacht an earraigh. Beidh an lá 'dul chun síneadh.'*

'Dún do chlab, a ghlagaire, agus imigh leat as seo,' arsa an sáirsint leis, 'nó is duitse is measa!'

Sheas an fear nóiméad agus é ag gáire leis féin os íseal.

'Gabh mo leithscéal, a bhuachaillí,' ar seisean, 'ach caithfidh mé mo scíth a ligean nóiméad ...' An chéad rud eile bhí sé ina shuí ar an tsráid agus a dhroim le balla an phríosúin.

'Céard a dhéanfaimid anois?' arsa an saighdiúir ach sula raibh deis ag an sáirsint é a fhreagairt tharraing an strainséir buidéal as taobh thiar dá dhroim agus ghlaoigh sé os ard orthu.

'Bíodh deoch agaibh, a bhuachaillí,' ar seisean. 'Tá an oíche fuar agus déanfaidh sé maitheas daoibh.'

D'fhéach na saighdiúirí ar a chéile. Bhí siad préachta cinnte agus ní dhéanfadh braoinín beag aon dochar! Níorbh fhada go raibh an bheirt acu ina suí leis an strainséir agus iad ag ól ar a ndícheall.

'Caithigí siar é a bhuachaillí,' ar seisean. 'Tá buidéal eile san áit a bhfuarthas é sin.'

'Cá bhfuair tú an poitín seo?' arsa an sáirsint leis ar ball.

'Sin scéal eile, m'anam,' arsa an strainséir, 'ach inis dom an méid seo. Caithfidh go bhfuil dream éicint an-tábhachtach istigh ansin agaibh le sibh a choinneáil amuigh ar a leithéid seo d'oíche?'

'Duine amháin, sin an méid,' arsa an sáirsint. 'An bodach sin a d'ionsaigh comrádaí linn tráthnóna. Ach beimid ag fáil réidh leis Dé hAoine,' arsa an saighdiúir eile agus rinne siad gáire beag nimhneach.

'Dé hAoine?' Ní thuigim,' arsa an strainséir.

'Beidh sé os comhair na cúirte ar a deich maidin Dé hAoine,' arsa an sáirsint, 'agus is cinnte nach mbeidh sé ag filleadh!' Agus thosaigh siad ag gáire arís.

'Caithfidh mé dul ann mar sin leis an spórt a fheiceáil,' arsa an strainséir agus súil aige ar an spéir, 'ach tá sé ina bháisteach arís. Caithfidh mé bheith ag imeacht. Tig libh an buidéal sin a chríochnú.'

Agus d'imigh sé leis sa dorchadas.

'Fear breá é sin,' arsa an sáirsint.

'Siúráilte, siúráilte,' arsa a chomrádaí agus an buidéal lena bhéal.

Cúig nóiméad níos deireanaí bhí an strainséir ag bualadh ar dhoras an tábhairne. D'oscail Séamas go cúramach é agus scaoil sé isteach a chara ... Pádraig Ó Dochartaigh!

# 5
# FUASCAILT

Maidin Dé hAoine díreach ag a leathuair tar éis a naoi d'oscail geata an phríosúin de ghíoscán agus tháinig captaen an gharastúin amach ar a chapall bán. Bhí cúigear eile ina dhiaidh - ceathrar saighdiúirí agus an príosúnach, Tomás Ó Máille. Bhí a dhá lámh ceangailte laistiar dá dhroim ach ní raibh aon cheangal eile air. Sheas siad nóiméad nó dhó gur thug an captaen an t-ordú agus ghluais siad leo ansin i dtreo na cúirte.

Maidin ghruama go maith a bhí ann ach mar sin féin bhí cuid mhaith daoine ar na sráideanna. Ach má bhí, is beag duine acu a thug aird ar bith ar na saighdiúirí ná ar a bpríosúnach bocht. Bhí taithí na mblianta acu ar a leithéid seo agus níor mhaith leo go bhfeicfí iad fiú ag breathnú ar an rud nár bhain leo.

Ní raibh siad ach trí nóiméad ó theach na cúirte nuair a chas siad suas mala ard Shráid an Chaisleáin. Rith sé le Tomás go raibh sé fíor-aisteach nach raibh duine ar bith le feiceáil ar an tsráid áirithe seo le hais na sluaite a bhí chuile áit eile.

Leath bealaigh suas an tsráid bhí cairt mhór agus ualach ard féir uirthi. Ach bhí siad chomh te sin agus an oiread sin dua orthu ag streachailt suas an t-ard nár thug aon duine acu aird ar an gcairt chéanna.

Ansin go tobann chuala siad torann ag ceann na sráide. Nuair a bhreathnaigh siad suas bhí bairille mór millteanach ag rolladh anuas chucu agus é ag bailiú luais i rith an ama. Lig an capall scréach as agus d'éirigh sé ar na cosa deiridh le teann faitís. Rinne an captaen tréaniarracht srian a choinneáil air ach ba obair in aisce é.

Sula raibh a fhios aige céard a bhí ag tarlú bhí sé caite ar an talamh agus bhí an capall ag rith leis siar an bealach a tháinig sé. Phreab na saighdiúirí go beo gasta lena gcaptaen a shábháil. Bhí siad díreach in am lena tharraingt isteach le balla sular imigh an bairille ina ruathar tharstu.

Ach bhí dearmad déanta acu ar a bpríosúnach! Ar an bpointe boise thapaigh Tomás a dheis agus thug sé na cosa leis.

'An príosúnach!' a bhéic an captaen. 'Stopaigí é!'

Ach sula raibh deis acu aon cheo a dhéanamh nár thosaigh an chairt ag déanamh orthu, í ag géarú ar a luas de réir mar a bhí sí ag imeacht le fána. Bhí an t-ádh ar na saighdiúirí. Bhuail sí an balla gar go maith dóibh agus chuaigh an carn mór féir ar fud na háite. Anuas ar na saighdiúirí a

Stopaigí é!

tháinig an chuid is mó de agus chlúdaigh iad féin, an capall agus an captaen.

Bhí mearbhall iomlán orthu anois agus iad ag casacht agus ag plobarnaíl i rith an ama. Agus bhí an oiread sin dusta agus féir ar fud na háite nach bhfaca siad an bheirt pháistí ag éalú leo go ríméadach go barr na sráide. Nóirín agus Peadar Ó Máille a bhí ann agus iad breá sásta le toradh a gcuid oibre.

* * *

Nuair a chas Tomás Ó Máille ina rith thar choirnéal na sráide baineadh geit mhór as nuair a chonaic sé cé a bhí ann ag fanacht leis. Cé eile ach Pádraig Ó Dochartaigh! Ach ní raibh fonn cainte ar bith ar Thomás.

'Lean mise go beo,' ar seisean agus d'imigh siad leo mar shoinneán gaoithe Márta. Bhain siad bun na sráide sin amach

agus síos cúlsráid eile leo. Ba bheag nár leag siad an tseanbhean a bhí ina seasamh ann agus í ag iarraidh déirce. I bpreabadh na súl bhí an téad a bhí ar lámha Thomáis gearrtha ag Pádraig. Cúpla nóiméad eile agus bhí siad ag cúldoras Shéamais agus ar thiontú do láimhe bhí siad slán sábháilte taobh istigh.

Idir an dá linn, i Sráid an Chaisleáin bhí na saighdiúirí ag teacht chucu féin agus iad á scalladh go géar ag an gcaptaen.

'Sa tóir air láithreach!' ar seisean de bhéic. 'Beirigí ar an mbithiúnach sin go beo nó sibh féin a bheidh ag damhsa ag bun an rópa. Bailigí libh, a deirim!'

D'imigh na saighdiúirí ar luas lasrach. Síos go bun na sráide leo agus gach béic agus mallacht astu. Duine ar bith a bhí ar an tsráid rompu ní raibh sé i bhfad ag glanadh leis. Ach bhí an tseanbhean fós ag an gcoirnéal nuair a tháinig na cótaí dearga de ruathar ina treo.

'Cá ndeachaigh sé? Cén treo a ndeachaigh sé?' arsa an captaen de scread. 'Inis dúinn go beo!'

Shín an tseanbhean méar i dtreo an taobh eile den bhaile mór agus ar sise de ghlór lag: 'An bealach sin, a dhuine uasail ... d'imigh sé an bealach sin.'

'Brostaigí,' arsa an captaen agus ar aghaidh leo arís. D'fhan an tseanbhean go ndeachaigh siad as radharc. Thiontaigh sí ansin agus síos an chúlsráid léi ... i dtreo tigh Shéamais.

* * *

Bhí siléar thíos faoin gcúlchistin ag Séamas Ó Dubhthaigh agus is ann a bhí Tomás Ó Máille agus a bheirt pháistí i bhfolach agus ardáthas orthu tar éis an éacht a bhí déanta acu. Ach anois is ag fanacht le Bríd a bhí siad. Ní bheadh an chéad chuid den phlean i gcrích go dtiocfadh sise slán. Ar ball beag buaileadh cnag ar an gcúldoras thuas staighre. D'imigh Séamas lena oscailt.

'Cé tá ansin?' ar seisean, 'tá an tábhairne dúnta.'

'Seanbhean bhocht atá ag iarraidh braoinín bainne,' arsa glór lag ón taobh amuigh.

Ach bhí áthas ar Shéamas na focail sin a chloisteáil - díreach mar a shocraigh sé le Bríd féin iad! Gan a thuilleadh moille tharraing sé an bolta agus scaoil sé isteach í.

'Bail ó Dhia ort, a Bhríd,' Ar seisean. 'Cén chaoi ar éirigh leat?'

'D'éirigh thar barr liom, buíochas le Dia,' ar sise agus an seál á bhaint dá cloigeann aici. 'Tá na Sasanaigh curtha amú ar fad agam ach in ainm Dé lig dom suí síos, a Shéamais, nó titfidh mé!'

Chuir Séamas scol gáire as.

'Gheobhaidh tú cathaoir thíos staighre anois,' ar seisean agus threoraigh sé síos í go dtí an dream eile.

Bhí Peadar agus Nóirín ag fanacht go mífhoighdeach léi agus chomh luath agus a chuala siad a glór rith siad chuici go sceitimíneach lena lámha a chaitheamh timpeall uirthi agus í a phógadh arís agus arís eile. Anonn léi ansin go dtí Tomás agus na deora áthais lena súile. Bhí an teaghlach le chéile arís! Ansin tar éis dóibh cúpla nóiméad a chaitheamh ag caint agus ag gáire le chéile tháinig Séamas anuas chucu arís. Bhí bairille sa chúinne agus shuigh sé in airde air ar nós duine a mbeadh rud mór le rá aige.

'Anois, a chairde,' ar seisean, 'ní gá dom a insint daoibh nach bhfuil sibh slán fós agus feictear domsa agus do Phádraig nach mbeidh sibh slán riamh má fhanann sibh in Éirinn. Dá bhrí sin tá Pádraig bailithe leis cheana féin go Cathair na Mart le socruithe a dhéanamh le go mbeidh sibh in ann seoladh leis féin maidin amárach go Meiriceá.'

'Go Meiriceá?' arsa Tomás agus iontas

air, 'ach ... '

'Éist liom anois, a Thomáis,' arsa Séamas, 'tá a fhios agam gur cúis iontais é seo ar fad duitse ach níl an dara rogha agat. Tá sé pléite go mion againn le Bríd agus na gasúir agus le seacht bhfocal a chur in aon fhocal amháin tá sibh ag imeacht agus sin sin!'

'Ach an t-airgead ... ' arsa Tomás. 'Tá sé sin socraithe chomh maith,' arsa Séamas. 'Thug Bríd dom an méid a bhí sa bhosca sin agaibhse agus chuir mé féin an chuid eile leis. Beidh rud beag fágtha le sibh a chur ar bhur gcosa i Meiriceá agus tá roinnt rudaí beaga eile ón mbaile i bhfolach sa chairt againn freisin.'

'Tá an ceart aige, a stór,' arsa Bríd. 'Níl aon dul as againn ... agus nach mbeidh obair ar fáil do ghabha i Meiriceá ...?'

'Agus don fhidléir freisin, tá súil agam,' arsa Pádraig go haerach agus é ag preabadh anuas an staighre chucu.

'Tá tú ar ais mar sin,' arsa Séamas leis.

'Tá, m'anam,' arsa Pádraig, 'agus tá chuile shórt i gceart. Is é Eoghan Ó Loingsigh as an mbaile seo an captaen agus nuair a mhínigh mé an scéal dó dúirt sé go dtógfadh sé muid gan stró.

'Tá chuile shórt ceart mar sin?' arsa Séamas.

'Níl ach fadhb bheag amháin ann,' arsa Pádraig. 'Chonaic mé ar mo bhealach aniar go bhfuil scata saighdiúirí ag gardáil an droichid sin cúpla míle an taobh seo de Chathair na Mart. Beidh orainn tú a scaoileadh amach sula dtagaimid chomh fada leo agus beidh ort do bhealach a dhéanamh trí na páirceanna agus trasna na habhann go dtí an taobh eile. Tig linn tú a phiocadh suas arís idir sin agus Cathair na Mart ach é a thógáil go réidh. Ní bheidh dada ansin idir thú agus Meiriceá. Anois, a

le chéi
arís!

Thomáis a rógaire, céard deir tú leis sin?'

'Bhuel, is dócha go bhfuil an ceart agaibh,' arsa Tomás go drogallach, 'ach níor shíl mé riamh go bhfágfainn Baile na gCrann chomh sciobtha sin ... '

'Ní mar a shíltear a bhítear, a chara mo chroí,' arsa Pádraig leis go cineálta, 'ach nach fearr an bád ná an rópa?'

'Is fíor duit, a Phádraig,' arsa Séamas, 'ach tar uait as seo anois. Tá sé in am agamsa an tábhairne a oscailt agus tabharfaidh sé deis do na daoine seo a scíth a ligean. Tá turas fada rompu.'

'Agus romhamsa freisin,' arsa Pádraig agus é ag gáire, 'ach sílim go mbeidh deoch nó dhó agam sula dtéim chun na leapa.'

ma colaj
dearga

6

# ÉALÚ SAN OÍCHE

Bhí sé leathuair tar éis a haon an mhaidin dár gcionn nuair a dhúisigh Séamas iad.

'Anois, a chairde, caithfidh sibh bheith ag imeacht. Tá Pádraig taobh amuigh ag fanacht libh.'

Bhí na páistí leath ina gcodladh fós nuair a thug a máthair amach iad go dti an chairt. Tháinig Tomás ina ndiaidh agus a lámh thar ghualainn a charad, Séamas.

'Níl a fhios agam céard a dhéanfaimis gan thú, a Shéamais. Go méadaí Dia do stór.'

'Fad is atá sibhse slán sábháilte is cuma liomsa,' arsa Séamas, 'ach nach dtig libh scríobh chugam ó Mheiriceá?'

'Déanfaimid sin gan dabht,' arsa Bríd agus bhris na deora uirthi. Chroith Tomás lámh a charad don uair dheiridh agus anonn leis go dtí an chairt, áit a raibh Pádraig ag fanacht go mífhoighdeach.

'Anois, a Thomáis,' ar seisean, 'caithfidh tusa dul isteach faoin bhféar seo agus luífidh Nóirín agus Peadar anuas ort agus iad ina gcodladh mar dhea. Scaoilfimid amach ansin thú nuair a bheimid i ngar do na saighdiúirí. Idir an dá linn suífidh Bríd in aice liomsa. Tá go maith ... Suas libh anois.'

Nuair a bhí chuile shórt réidh, dar leis, chroith sé lámh le Séamas agus suas leis ar an gcairt.

'Beannacht Dé libh agus go dtuga Dia slán sibh go dtí an tOileán Úr,' arsa Séamas agus tocht ina ghlór. D'ardaigh Bríd a lámh agus leis sin d'imigh siad leo trí chúlsráideanna an bhaile agus iad ag déanamh ar bhóthar Chathair na Mart. Sheas Séamas ag breathnú ina ndiaidh nó go ndeachaigh siad as radharc. Thiontaigh sé ansin agus shiúil sé go mall i dtreo an tábhairne.

...

Bhí siad dhá mhíle taobh amuigh de Chathair na Mart agus é fós dorcha nuair a tharraing siad isteach ar thaobh an bhóthair. Bhí rian den toirneach fós san aer ach bhí an oíche sách geal le go mbeadh Tomás in ann a bhealach a dhéanamh gan mórán dua.

'Coinnígí ciúin,' arsa Pádraig, agus ar seisean i gcogar le Tomás, 'bí ag imeacht anois, a Thomáis. Ní fada uainn na cótaí dearga. Beimid ag faire amach duit arís idir seo agus an baile mór. Go gcumhdaí

mbóthar

Dia thú anois.'

Ach bhí Tomás ar an mbóthar cheana féin. D'imigh sé thar an gclaí gan focal agus é ag déanamh ar an gcnocán a bhí díreach os a chomhair sa Pháirc. D'fhéadfadh sé an abhainn a thrasnú taobh thall eile den chnocán sin agus ní fheicfeadh duine ná deoraí é.

Idir an dá linn bhí an chuid eile ag coinneáil leo ar an mbóthar mór ach níorbh fhada gur airigh siad solas rompu ar an mbóthar.

'Go réidh anois, a Bhríd,' arsa Pádraig os íseal, 'tá a fhios agat an scéal?'

'Tá a fhios,' arsa Bríd go neirbhíseach. 'Go sábhála Mac Dé sinn.'

'Stopaigí in ainm na Banríona,' a scairt guth ard gallda ar an mbóthar rompu. Na cótaí dearga a bhí ann gan aon amhras! Stop Pádraig an chairt agus d'fhan siad gur tháinig an sáirsint chomh fada leo agus laindéar ina lámh aige.

'Cá bhfuil sibhse ag dul i lár na hoíche mar seo?' ar seisean go borb.

'Ó is bocht agus is brónach an scéal é, a dhuine uasail,' arsa Bríd agus gach olagón aisti. 'Tá mo mháthair bhocht básaithe i gCathair na Mart leis an ocras agus táimid ag dul chun na sochraide, an dtuigeann tú?'

D'ardaigh an sáirsint an laindéar agus scrúdaigh sé go géar í. Bhí cuma chráite bhrónach uirthi ceart go leor ...

'Bígí ag imeacht,' ar seisean leo agus thug sé an t-ordú do na saighdiúirí iad a ligean ar aghaidh. Sheas na saighdiúirí siar agus ghluais siad leo arís. Ní raibh focal as aon duine acu go dtí go raibh na saighdiúirí fágtha i bhfad ina ndiaidh.

'Muise, bail ó Dhia ort, a Bhríd,' arsa Pádraig ar deireadh, 'chuir tú an dallamullóg orthu gan stró.'

'Éist do bhéal, a dhiabhail,' arsa Bríd agus meangadh gáire ag teacht uirthi, 'ar éigean a bhí mé in ann mo bhéal a oscailt bhí mé chomh scanraithe sin.'

'Is cuma faoi sin anois,' arsa Pádraig, 'breathnaigh.'

Thíos fúthú le céadsolas na maidine chonaic Bríd tithe agus sráideanna an bhaile mhóir. Bhí Cathair na Mart sroichte acu! Ní raibh le déanamh anois ach fanacht le Tomás...

...

Bhí sé ag tógáil níos mó ama ar Thomás Ó Máille barr an chnoic a bhaint amach ná mar a shíl sé. An talamh ba chúis leis sin cuid mhaith. Bhí poill bheaga agus poill mhóra ar fud na háite agus bhí sé fíordheacair é a shiúl sa dorchadas. D'imigh na cosa uaidh cúpla uair agus mar bharr

an dallamullóg

donais ar an scéal bhí an oíche an-mheirbh agus níorbh fhada go raibh sé ag cur allais go tiubh. Mar sin féin nóiméad nó dhó eile agus bheadh barr an chnoic bainte amach aige.

Ansin gan choinne las splanc thintrí an spéir agus chuir plimp thoirní an croí trasna ann. Chaith sé é féin ar an talamh láithreach. Ní túisce é sínte ná gur airigh sé an t-urchar os a chionn. Bhí sé feicthe ag duine de na saighdiúirí. D'fhan sé mar a raibh sé. An chéad rud eile chuala sé rois urchar ag scinneadh tríd an aer agus ansin d'airigh sé na glórtha gallda chuige. Bhí na cótaí dearga ag déanamh ar an gcnoc!

D'éirigh sé agus rith sé lena anam i dtreo na habhann. Bhí an oíche ródhorcha le go bhfeicfí é ach chaithfeadh sé a bheith i bhfolach sula mbainfeadh na saighdiúirí barr an chnoic amach.

Shroich sé an abhainn agus chuir sé de

í gan mórán dua. Bhí crainn agus sceacha ar an mbruach thall agus chuaigh sé i bhfolach go gasta ina measc. Ba ghearr gur chuala sé na glórtha uaidh ar bharr an chnoic. Bhí an laindéar leo agus iad ag cuardach.

Nuair nach raibh corpán ná eile le fáil acu ar bharr an chnoic chas siad i dtreo na habhann. Bhí croí Thomáis fós ina bhéal aige. Ach ón gcaint a bhí ar siúl bhí sé ríshoiléir go raibh an sáirsint ag éirí míshásta leis an bhfear a scaoil an chéad urchar.

'An bhfuil tú lánchinnte go bhfaca tú rud éigin?' ar seisean go borb.

'Bhí mé cinnte go bhfaca mé duine ar bharr an chnoic nuair a las an tintreach,' arsa an saighdiúir ach ní raibh aon chuma air go raibh sé róchinnte.

'B'fhéidir gur ar do shúile a bhí sé,' arsa an sáirsint.

na cólta

rga

Chuardaigh siad bruach na habhann ar feadh tamaill le solas an laindéir ach níor thairg duine ar bith acu dul san uisce. Ba léir nach raibh a gcroíthe san obair ach iad ag stánadh rompu sa dorchadas.

Níorbh fhada gur thosaigh roinnt de na siaghdiúirí eile ag tabhairt faoin gcomrádaí bocht leo a scaoil an t-urchar.

'B'fhéidir gur coinín a chonaic tú?'

'Nó taibhse, b'fhéidir!'

'Nó meas tú arbh é an púca a chonaic sé?'

Ach bhí a dhóthain cloiste ag an sáirsint faoin am sin agus chuir sé deireadh tobann leis an magadh.

'Ar ais go dtí an droichead,' ar seisean go cantalach. 'Níl garda ar bith ar an mbóthar thíos agus muidne ag cur ár gcuid ama amú anseo.'

D'fhan Tomás mar a raibh sé ar feadh cúpla nóiméad agus é ag gabháil buíochais le Dia as é a thabhairt slán as an gcontúirt.

Bhí a chosa agus bun a bhríste fliuch. Bhí a aghaidh agus a lámha scríobtha ag na driseacha agus ag na sceacha agus bhí sé fós cúpla míle ó Chathair na Mart. Ach bhí sé beo agus bhí sé saor!

Ach níor mhór dó a bheith ag imeacht anois. Bheadh an long ag seoladh le breacadh an lae.

7

# THAR CUAN AMACH

Bhí imní ag teacht ar Phádraig Ó Dochartaigh agus cé nach raibh sé ag ligean dada air le Bríd bhí a fhios aige gur cheart go mbeadh Tomás tagtha suas leo i bhfad roimhe sin. Bhí an ghrian ag éirí agus é ina lá beagnach.

Ach cá raibh sé nó cén mhoill a bhí air? Níorbh fhéidir gur báite a bhí sé nó imithe amú sa dorchadas?

Bhí sé díreach ar bharr a theanga a rá le Bríd go rachadh sé siar á chuardach nuair a lig Nóirín béic áthais aisti agus shín sí méar i dtreo na coille ar an taobh eile den bhóthar. Bhí Tomás tar éis teacht amach as an gcoill agus é ag rith ina dtreo. 'Buíochas mór le Dia,' arsa Pádraig ina aigne féin agus lig sé osna. Ach port eile ar fad a bhí aige do Thomás.

'Céard sa diabhal a tharla duitse?' ar seisean.

Shuigh Tomás isteach sa chairt. Rug sé greim ar Pheadar agus ar Nóirín agus tharraing chuige iad.

'Caithfidh go raibh tú in achrann le tor aitinn,' arsa Pádraig.

'Ná bac leis an tseafóid sin anois agus bí ag imeacht,' arsa Tomás agus straois air. 'Inseoidh mé an scéal ar fad duit idir seo agus Meiriceá.' Agus leag sé lámh go grámhar ar chloigeann Bhríde.

Ghearr Bríd fíor na croise uirthi féin agus ar aghaidh leo i dtreo an bhaile mhóir.

Ní raibh duine ná deoraí le feiceáil fós ar shráideanna an bhaile ach bhí scata fear ar an gcé agus iad ar a ndícheall ag iarraidh an chuid dheiridh den lasta a chur ar bord na loinge. Bhí fear ard caol á dtreorú agus thuig Bríd ar an bpointe gurbh eisean Eoghan Ó Loingsigh, captaen na loinge. Nuair a chonaic sé ag teacht iad d'ardaigh sé a hata agus shiúil sé go tapa ina dtreo. Bhí Tomás agus Pádraig ag léim anuas as an gcairt faoin am a tháinig sé chomh fada leo.

'Bail ó Dhia oraibh,' ar seisean. 'Bhí mé ag ceapadh nach raibh sibh ag teacht ar chor ar bith.'

'Is fearr go deireanach ná go brách,' arsa Pádraig leis agus iad ag croitheadh lámh lena chéile.

'Beimid ar an bhfarraige faoi cheann tamaillín, le cúnamh Dé,' arsa Eoghan. 'Agus seo iad do chairde?'

'Is iad,' arsa Pádraig. 'Beidh áit agat dóibh?'

'Beidh, go deimhin,' arsa Eoghan, 'agus cuirfidh duine de na leaids áitiúla an t-asal

ar dheic na bliana

agus an chairt sin as bealach go dtagann do chara as Caisleán an Bharraigh lena mbailiú. Ach déanaigí deifir anois, a chairde, táimid ar tí seoladh.'

D'fhéach Tomás agus Bríd ar a chéile. Bhí na páistí ag seasamh taobh leo agus imní ina súile ... Agus bhí an long ag fanacht.

'Déanaigí deifir!' Bhí Eoghan ag glaoch orthu arís. Thuig Bríd nach raibh aon dul siar anois acu agus tháinig na deora go flúirseach.

'Go gcumhdaí Dia sinn,' arsa Tomás agus a lámha timpeall uirthi.

'Seo linn, a chairde,' arsa Pádraig agus thug siad aghaidh ar an long.

■ ■ ■

Leathuair an chloig níos deireanaí bhí siad ag seoladh go réidh as Cuan Mó. De réir a chéile bhí ceobhrán na maidine ag glanadh agus bhí muintir Mháille agus a gcara, Pádraig Ó Dochartaigh, ina seasamh le chéile ar dheic na loinge agus iad ag breathnú siar ar chósta na hÉireann. Bhí Cruach Phádraig le feiceáil go soiléir anois agus í ag éirí go maorga os cionn na farraige.

'An bhfeicfimid Baile na gCrann go deo arís, meas tú?' arsa Nóirín ar ball.

'B'fhéidir, a stór,' arsa a máthair léi ... 'Níl a fhios agam.'

'Is cinnte go bhfeicfidh,' arsa Peadar. 'Nuair a bheas mise mór tiocfaidh mé ar ais go hÉirinn lá éigin.'

'Le cúnamh Dé, a stór,' arsa Bríd go bog cineálta, 'le cúnamh Dé.'

Leis sin chuala siad Eoghan ag glaoch isteach orthu. Bhí greim bia réidh dóibh agus thiontaigh siad in éineacht le dul síos an staighre.

CRÍOCH